Tha an leabhar seo le:

_____

_____

_____

Do ar dadaidhean agus ar mamaidhean
a bhiodh a' cur oirnn ar plaideachan agus ag innse
deagh stòiridhean dhuinn aig àm cadail

D. H. & S. S.

A' chiad fhoillseachadh sa Bheurla an 2010 le Walker Books Earr
87 Vauxhall Walk, Lunnainn SE11 5HJ
An deasachadh seo foillsichte 2018
2 4 6 8 10 9 7 5 3 1

A' chiad fhoillseachadh sa Ghàidhlig 2018 le Acair
An Tosgan, Rathad Shìophoirt, Steòrnabhagh, Eilean Leòdhais HS1 2SD

info@acairbooks.com   www.acairbooks.com

Tha Acair a' faighinn taic bho Bhòrd na Gàidhlig.

Gheibhear clàr catalog CIP airson an leabhair seo ann an Leabharlann Bhreatainn.

Clò-bhuailte ann an Sìona

LAGE/ISBN 978-1-78907-030-9

Cuir Orm Mo Phlaide!

Dean Hacohen &
Sherry Scharschmidt

Tha àm na leapa ann.

Cò a tha ag iarraidh plaide a chur orra?

Tha mise!

Oidhche mhath, Bèibidh Muc.

Cò eile a tha ag iarraidh plaide
a chur orra?

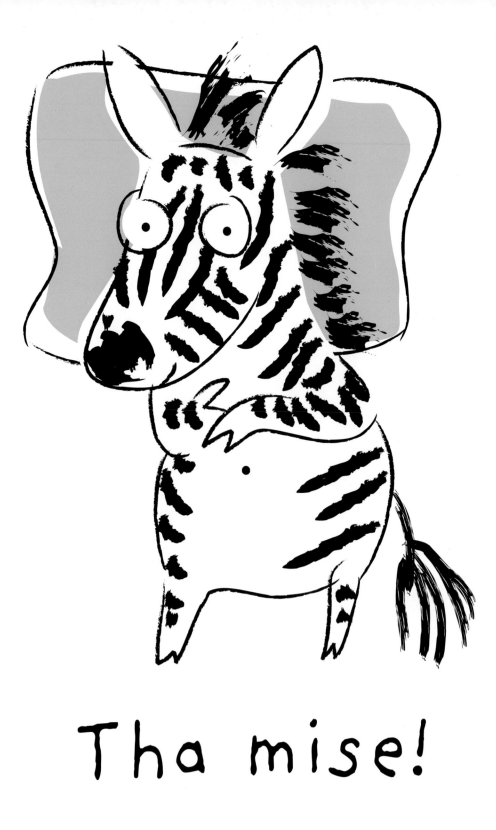

Tha mise!

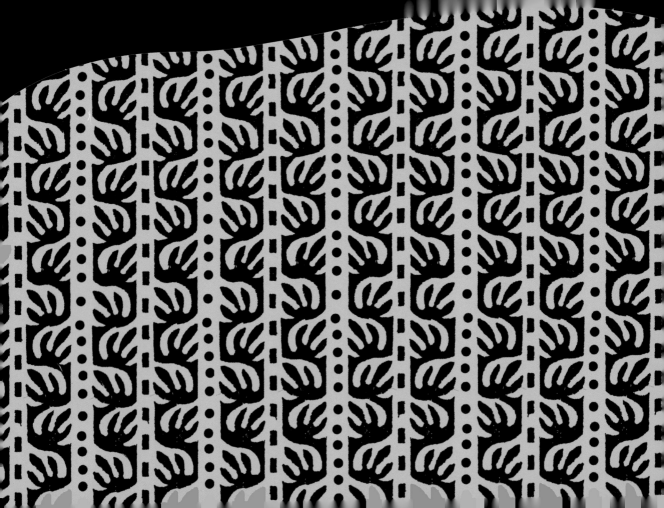

Oidhche mhath, Bèibidh Sìobra.

Cò eile a tha ag iarraidh plaide
a chur orra?

Tha mise!

Oidhche mhath, Bèibidh Ailbhean.

Cò eile a tha ag iarraidh plaide
a chur orra?

Tha mise!

Oidhche mhath, Bèibidh Ailigeutair.

Cò eile a tha ag iarraidh plaide
a chur orra?

Tha mise!

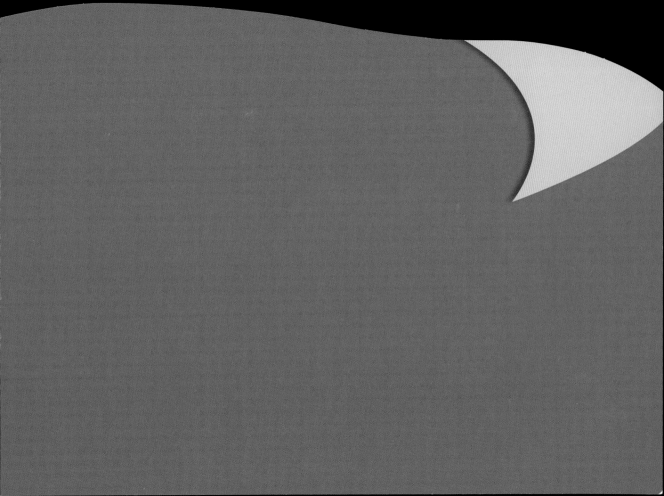

Oidhche mhath, Bèibidh Lon.

Cò eile a tha ag iarraidh plaide
a chur orra?

Tha mise!

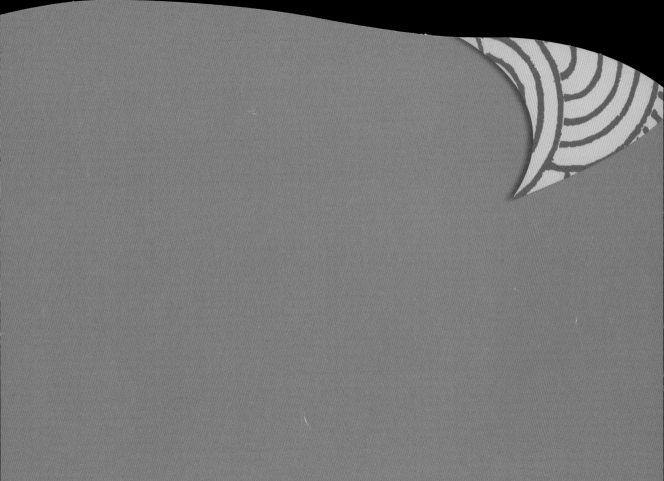

Oidhche mhath, Bèibidh Gràineag.

Cò eile a tha ag iarraidh plaide
a chur orra?

Tha mise!

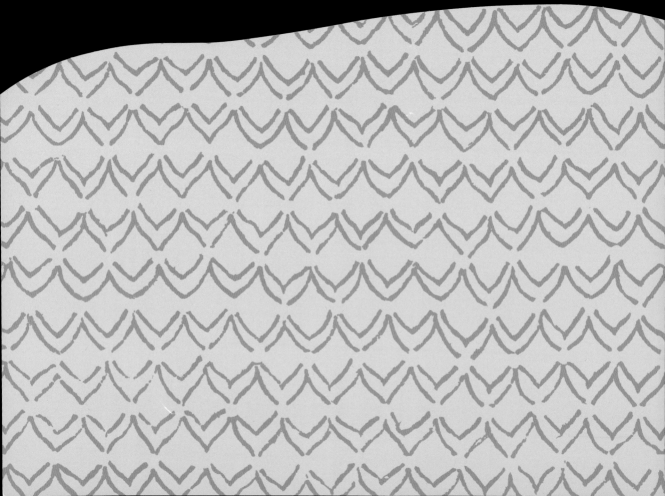

Oidhche mhath, Bèibidh Peucag.

Cò eile a tha ag iarraidh plaide
a chur orra?

A bheil thusa?

Oidhche mhath
dhutsa cuideachd!

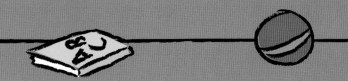

Oliver's Wood

From the author of BARRY THE FISH WITH FINGERS

DINOSAURS DON'T HAVE BEDTIMES!

Timothy Knapman   illustrated by Nikki Dyson

yawn

Nick Sharratt   Sally Symes

A First Counting Book

When the Moon Smiled

Petr Horáček